Proteja sua emoção

Aprenda a ter a mente livre e saudável

AUGUSTO CURY

O PSIQUIATRA MAIS LIDO DO MUNDO

Proteja sua emoção

Aprenda a ter a mente livre e saudável

Principis

Esta é uma publicação Principis, selo exclusivo da Ciranda Cultural

Texto
© Augusto Cury

Editora
Michele de Souza Barbosa

Revisão
Fernanda R. Braga Simon

Diagramação
Linea Editora

Produção editorial
Ciranda Cultural

Design de capa
Ana Dobón

Imagens
NicoElNino/shutterstock.com

Dados Internacionais de Catalogação na Publicação (CIP) de acordo com ISBD

C982c Cury, Augusto

Proteja sua emoção: Aprenda a ter a mente livre e saudável / Augusto Cury. - Jandira, SP : Principis, 2021.
64 p. ; 15,50cm x 22,60cm. (Augusto Cury)

ISBN: 978-65-5552-688-2

1. Autoajuda. 2. Desenvolvimento. 3. Psicologia. 4. Autonomia. 5. Autoconhecimento. I. Título.

2021-0287 CDD 158.1
CDU 159.92

Elaborado por Lucio Feitosa - CRB-8/8803

Índice para catálogo sistemático:
1. Autoajuda : 158.1
2. Autoajuda : 159.92

www.augustocury.com.br

1ª edição em 2021
www.cirandacultural.com.br

Dedico este livro a alguém especial.

Que você capacite seu Eu para ser autor
de sua história e gerenciar sua mente.

Se treinar, não tenha medo de falhar.
E, se falhar, não tenha medo de chorar.

E, se chorar, corrija suas rotas, mas não desista.

Dê sempre uma nova chance para si e
para quem ama. Só adquire maturidade
quem usa suas frustrações para alcançá-la.

Sumário

Capítulo

1

Sociedades modernas: fábricas de pessoas tensas

O que é proteger a emoção?

- Submeter a emoção ao gerenciamento do Eu.
- Ser livre para sentir, mas não prisioneiro(a) dos sentimentos.
- Usar habilidades para filtrar estímulos estressantes.
- Gerenciar os focos de ansiedade.
- Dar um choque de lucidez em seus medos, angústias, ansiedade, humor triste, agressividade, impulsividade, dependência.
- Desenvolver solidariedade, altruísmo, tolerância – capacidade de se colocar no lugar dos outros.
- Preservar a juventude no único lugar em que não é admissível envelhecer: no território da emoção.

Paradoxos doentios das sociedades modernas

Minha trajetória como psiquiatra, psicoterapeuta, pesquisador e produtor de conhecimento sobre o complexo funcionamento da mente humana me convenceu de que a nossa espécie, particularmente

Muitas pessoas precisam de inumeráveis estímulos para sentir migalhas de prazer.

nas sociedades modernas, está adoecendo coletivamente em seu psiquismo. Isso porque não aprendemos a proteger a mais importante propriedade que cada ser humano possui, seja ele um milionário ou um miserável: a emoção.

Eis alguns paradoxos doentios das sociedades modernas, dos quais precisamos proteger nossa emoção:

Dependência de estímulos

A indústria do lazer está se expandindo. Nunca tivemos tantas fontes de estímulo para excitar nossas emoções. A indústria da moda, os parques temáticos, os jogos esportivos, a internet, a televisão, os estilos musicais e a literatura explodiram nas últimas décadas.

Portanto, esperávamos que nossa geração vivesse o mais intenso oásis de prazer e tranquilidade. Mas nós nos enganamos. Jamais fomos tão angustiados, tristes e inseguros. Muitas pessoas precisam de inumeráveis estímulos para sentir migalhas de prazer.

Solidão

A solidão está se expandindo. No começo do século XX, éramos pouco mais de um bilhão de pessoas. Hoje, só a China e a Índia têm, cada uma, mais de um bilhão de habitantes. Por vivermos tão próximos fisicamente, pensávamos que a solidão seria estancada. Mas nos enganamos novamente: a solidão nos contaminou. As pessoas estão sós nos elevadores, nos ambientes de trabalho, nas ruas, nos parques, nas praças. Estão sós em meio à multidão.

A morte do diálogo

O diálogo está morrendo. Muitos só sabem falar de si mesmos quando estão diante de um psiquiatra ou psicólogo. Pais e filhos não cruzam suas histórias, raramente trocam experiências de vida. A família moderna está se tornando um grupo de estranhos, cada um vivendo ilhado no próprio mundo. Cinquenta por cento dos pais jamais conversaram com seus filhos sobre suas lágrimas, medos, angústias, pesadelos.

Nas empresas e escolas, as pessoas estão próximas fisicamente, mas infinitamente distantes interiormente.

Perdas, angústias, medos, conflitos não são verbalizados. Oitenta por cento das pessoas têm sintomas de timidez. Muitas pessoas tímidas são ótimas para os outros, mas costumam ser carrascos de si mesmas.

Discriminação e preconceito

A discriminação chegou a patamares insuportáveis. Infelizmente, nós nos dividimos: discriminamos e excluímos as pessoas de múltiplas formas. Não honramos o fascinante funcionamento da mente humana, o espetáculo das ideias, nossa capacidade de pensar. Não poucas vezes, não é a discriminação imposta pelos outros que mais perturba, mas a autodiscriminação.

Você se autodiscrimina ou se diminui?

E quanto à sociedade, sente que as pessoas olham com preconceito para você?

Esse preconceito o(a) machuca pouco ou muito?

Deterioração da qualidade de vida

A qualidade de vida está se deteriorando. Apesar dos avanços da medicina, da psicologia e da psiquiatria, o normal tem sido ser ansioso e estressado, e o anormal tem sido ser tranquilo e relaxado. De acordo com o Instituto de Pesquisa Social da Universidade de Michigan (EUA), cinquenta por cento das pessoas cedo ou tarde desenvolverão algum transtorno psíquico, como depressão, fobias, síndrome do pânico, estresse pós-traumático, psicoses, alcoolismo ou farmacodependência. Um número assustador.

E você? É ansioso(a), agitado(a), tenso(a)?

Sofre por antecipação? Acorda cansado(a), vive fatigado(a)?

Anda esquecido(a) ou tem déficit de memória?

Apresenta sintomas psicossomáticos (dores de cabeça e musculares, taquicardia, queda de cabelo etc.)?

Perdas, angústias, medos, conflitos não são verbalizados.

Capítulo

2

A masmorra da emoção

Um Eu que abandonou a emoção

Muitos governam países, mas são controlados por suas emoções doentias. Você é? Quem é especialista em proteger sua emoção? Muitos dirigem empresas, mas são algemados por seus sentimentos angustiantes, fóbicos, ansiosos. Sofrem por pequenos problemas e, o que é pior, por coisas que nunca irão acontecer. Você sofre pelo amanhã? Faz o velório das coisas antes do tempo?

Será que cuidamos com seriedade da nossa saúde mental, assim como cuidamos de outras coisas?

Raramente.

Até médicos e profissionais de saúde mental com a responsabilidade de cuidar da saúde dos outros têm dificuldade de cuidar de sua qualidade de vida. Muitos exigem demais de si, trabalham excessivamente, não filtram estímulos estressantes, não administram seu tempo nem sua ansiedade. Dependentes de drogas, principalmente, tornam-se, com frequência, os maiores carrascos de sua qualidade de vida.

Olhe para sua experiência de vida. Analise o que você tem feito para ser uma pessoa mais estável, tranquila e segura, assim como o que você tem feito para superar sua impulsividade, ansiedade, irritabilidade.

Seja sincero(a)! Quanto tempo você tem gasto para viver a vida como uma apaixonante aventura?

Emoção saudável

Embora a emoção deva ser administrada, é impossível dominá-la completamente. Ela pode gerar a mais rica liberdade ou a mais drástica prisão: o cárcere da emoção. Muitos vivem nesse cárcere. É impossível alguém ser rigidamente equilibrado. A emoção se transforma num processo contínuo. A alegria se alterna com a ansiedade, que se alterna com a tranquilidade, que se alterna com a apreensão.

Todavia, flutuações bruscas revelam uma emoção doentia. Quem está tranquilo num momento e explosivo em outro não tem uma emoção saudável.

A emoção é mais difícil de ser governada do que os pensamentos. Ela é ilógica. E, por isso, é tão bela. Uma mãe nunca desiste de um filho, por mais que ele a decepcione. Um professor pode investir num aluno rebelde e relapso e sonhar que um dia ele vai brilhar.

Por ser ilógica, a emoção traz ganhos enormes, mas também grandes problemas. Uma ofensa pode estragar a semana. Uma crítica pode gerar noites de insônia. Uma perda pode destruir uma vida. Um fracasso pode gerar um trauma gigante.

Quem quer viver dias felizes e ter uma mente saudável deve aprender a gerenciar a emoção para ser calmo, tranquilo, cobrar menos, doar-se mais. Não é à toa que há muitos milionários que são miseráveis e muitos paupérrimos que são ricos em se encantar com a vida. Não é sem razão que há muitos intelectuais com baixo limiar (capacidade) para suportar frustrações, contrariedades, perdas, crises.

Relacionamentos: uma fonte de atritos

Relacionamentos cheios de atritos podem se converter numa das mais poderosas e destrutivas drogas. Depois de instaladas a crítica compulsiva e a necessidade ansiosa de mudar o outro, ocorre sério risco de falência emocional e relacional.

Você tem vivido essa falência?

Não são poucos aqueles que dão as costas para a tranquilidade por mais uma dose de atrito. São especialistas em brigar, discutir, punir, apontar falhas. São escravos produzindo escravos.

Muitos casais têm uma emoção doentiamente flutuante. Num momento, são serenos; noutro, são intensamente ansiosos. Num período, são lúcidos,

Quem você abandonou?

Quem você precisa positivamente surpreender?

Não se esqueça de que a melhor maneira de surpreender alguém é economizar nas palavras e ser abundante nas atitudes.

inteligentes, coerentes; noutro, são completamente ilógicos e irracionais. Embora haja alternância emocional em cada ser humano, uma alternância intensa e paradoxal é reflexo da dimensão dos conflitos intrapsíquicos e da falta de proteção e de gerenciamento da emoção.

Uma emoção saudável tem estabilidade e previsibilidade. Tem mais períodos prolongados de prazer e tranquilidade do que de tristeza e ansiedade.

Você é previsível ou é instável?

Reflita honestamente sobre sua flutuação emocional.

O que tira seu controle?

O amor inteligente protege a emoção

Nada tira tanto o ser humano do controle como a paixão. E nada irriga tanto a saúde emocional como aprender a amar com amor inteligente.

A paixão controla, o amor inteligente liberta. A paixão arde em ciúmes, o amor inteligente promove quem ama. A paixão nutre a ansiedade, o amor inteligente nutre a saúde psíquica, amplia os horizontes intelectuais, liberta o imaginário, promove a arte de se interiorizar, refina a capacidade de observar.

Quem ama com amor inteligente constrói *janelas light* na memória. São janelas positivas que arquivam boas experiências, realçam o princípio do prazer, estruturam a autoestima, cristalizam a relação de cada um consigo mesmo e com os outros, nos solos conscientes e inconscientes da memória.

Com que tipo de amor você ama?

Os que são destituídos de amor inteligente perdoam pouco, mas julgam muito; são frágeis para abraçar, mas fortes para excluir; são lentos em se doar, mas velozes em dar as costas. São, portanto, ótimos para conviver com máquinas, mas péssimos para se relacionar com seres humanos. E, como seres humanos, ainda que não saibam, clamam pelo amor como o sedento que, em terra seca, procura água, mas desconhece sua fonte.

Quem não protege a emoção da paixão doentia, que anula a liberdade e cobra excessivamente, não prepara seu Eu para ser gestor de sua mente. E isso o leva a ter medo de assumir sua insensatez e de reconhecer suas dificuldades. Assim, nega que está doente, nega sua fragilidade, nega que é um ser humano. Pune-se quando erra, pois tem a necessidade neurótica de estar sempre certo. Os títulos acadêmicos podem estar afixados na parede, mas faltam-lhe títulos da maturidade no fascinante território da emoção.

Capítulo

3

Gigantes por fora, pequenos por dentro

A mente humana esconde um universo de segredos

Não é fácil pilotar a aeronave mental, pois existe uma série de copilotos que podem comandá-la, pelo menos por alguns segundos ou minutos, levando o Eu a levantar voo quando não deseja, a seguir trajetórias que não traçou e a aterrissar onde não programou. Quantas vezes sentimos o que não queremos sentir ou nos perturbamos com angústias e medos que não programamos?

Quantas vezes nosso Eu bloqueia sem querer sua capacidade de dar resposta?

A construção da emoção é, portanto, multifocal, não depende apenas do Eu, o que torna o psiquismo humano mais complexo do que a ciência jamais imaginou.

Além dos fenômenos inconscientes que leem a memória e produzem cadeias de pensamento e emoção sem a autorização do Eu, existe uma série de variáveis que influenciam a construção da emoção. Por exemplo, onde estou (ambiente social em que me encontro, como um quarto ou um local público) e como estou (motivação, desejo, intenções subliminares). Ambos podem influenciar o gerenciamento do Eu sobre a emoção.

Quantas vezes
nosso Eu bloqueia
sem querer sua
capacidade de dar
resposta?

Não há dois senhores: ou será você ou serão seus conflitos!

Apesar da construção multifocal e da dificuldade de gerenciamento da emoção, não há dois senhores: ou você gerencia e protege, ainda que parcialmente, o território da emoção, ou ele o(a) dominará. No passado, embora sem nenhum conhecimento de psicologia, as pessoas saudáveis dominavam a emoção pela capacidade intuitiva de contemplar o belo, enfrentar a dor, fazer das perdas lições de vida.

Hoje, a sociedade é tão estressante e competitiva que, se não desenvolvermos habilidades para administrar a emoção, o risco de termos uma péssima qualidade de vida é enorme.

Reis dominaram o mundo, mas não dominaram a própria emoção. Generais venceram batalhas, mas perderam guerras no território da própria mente. Foram prisioneiros da raiva, do ódio, do orgulho, da angústia (tristeza com sensação de aperto no peito).

Se você não administrar sua emoção, será um barco sem leme, dirigido por elogios, aceitações, críticas, frustrações. Se os ventos sociais forem bons, você terá mais chances de chegar a bom termo. Se enfrentar tempestades, poderá afundar.

Pare e pense: Em que situações você é escravo(a) da sua emoção?

Lições para a vida

O modelo educacional das sociedades modernas está falido, pois desconhece essa ferramenta fundamental da qualidade de vida. Os jovens são ensinados durante anos a resolver problemas de matemática, mas não a matemática da emoção, onde dividir é aumentar e perder pode ser ganhar.

São ensinados a enfrentar as provas escolares, mas não as provas existenciais: frustrações, rejeições, angústias, dificuldades. São ensinados a conhecer as peculiaridades dos átomos, mas não seu Eu como gestor psíquico. Conhecem o mundo em que estão, mas pouquíssimo o mundo que são.

Deveríamos ter aprendido desde a infância que devemos e podemos administrar a emoção e filtrar estímulos estressantes para contemplar o belo, libertar a criatividade, fomentar a generosidade, debelar o medo, dissipar a insegurança, controlar o instinto da agressividade. Muitos são marionetes do seu mau humor e estresse.

Administrar a emoção é nosso direito – direito de ter uma mente livre, feliz, saudável, de navegar com segurança nas turbulentas águas das relações sociais.

Você exerce esse direito?

Muitos procuram o direito de se expressar, de ganhar dinheiro, de ter *status* social, o que é bom, mas não procuram o direito de ser gestores da própria mente, o que é excelente. Procuram o trivial, mas erram no essencial! E você?

Capítulo

4

Como surgem as emoções e como administrá-las

A relação estreita entre pensamentos e sentimentos

Não é fácil pilotar a aeronave mental, pois existe uma série de copilotos que podem comandá-la, pelo menos por alguns segundos ou minutos. As emoções surgem das cadeias de pensamento produzidas pelo processo de leitura da memória, que é realizado em milésimos de segundo por múltiplos fenômenos, incluindo o Eu.

Portanto, com exceção das emoções geradas pelo metabolismo cerebral e pelas drogas psicotrópicas, como tranquilizantes e antidepressivos, todas as demais experiências emocionais são fruto da leitura da memória e da produção de pensamentos conscientes e inconscientes.

Toda vez que você tem um sentimento, produziu, antes, um pensamento, ainda que não tenha percebido. Alguns acordam mal-humorados ou deprimidos porque, antes de despertarem, um fenômeno chamado *autofluxo* leu janelas tensionais da memória, produziu ambientes, personagens e circunstâncias com alta complexidade nos sonhos, que, por sua vez, excitaram a emoção e geraram angústia e ansiedade.

A tristeza ao entardecer segue o mesmo processo, mas o fenômeno acionado agora é o *gatilho da memória*. Ele põe em ação bilhões de dados em frações de segundo para nomear sons, imagens, palavras e odores. No entardecer, a diminuição do ritmo de atividades sociais leva à introspecção, detona o *gatilho*, abre as *janelas da memória* que contêm solidão e gera cadeias de pensamento que desfiguram o bom humor.

O processo de construção de pensamentos e emoções é rapidíssimo, não temos consciência dele. As *janelas da memória* são lidas multifocalmente, ou seja, simultaneamente, e produzem pensamentos que, por sua vez, transformam a paisagem das emoções. O som de uma música pode abrir uma janela da memória e produzir pensamentos que recordam doces experiências.

Tome as rédeas da emoção

Se não tomar as rédeas do psiquismo, se não der um choque de lucidez na mente, se não confrontar e "virar a mesa" contra a ansiedade e o humor deprimido, o Eu será uma vítima, um escravo da emoção, e não gerenciador dela. Grande parte dos maiores erros humanos ocorre nos primeiros 30 segundos de tensão.

O grande problema do processo de leitura da memória, de construção de pensamentos e de transformação da energia emocional é que o Eu, que representa a capacidade de escolha, só toma consciência dos pensamentos numa etapa posterior, segundos depois de ter desencadeado tal processo. Isso pode algemar sua liderança. Por isso, o Eu deve agir rápido.

Ao assistir a um filme de terror, você (seu Eu) pode desejar não sentir medo, pois sabe que por trás das cenas existem câmeras, diretor de imagem, assistente de produção, iluminador.

Todavia, quando a porta começa a ranger, o *gatilho da memória* abre uma janela contendo seus medos do passado. Isso produz pensamentos inconscientes que transformam a energia emocional. Tudo é realizado em frações de segundo.

Você prometeu que não iria sentir medo, mas o medo surgiu no teatro de sua mente antes que você conseguisse dominá-lo.

Usando a figura do teatro, o maior desafio do Eu é controlar, dissipar e administrar o medo e a ansiedade depois que eles surgem. Em qualquer experiência, os primeiros pensamentos e emoções aparecem antes da consciência do Eu. O Eu deve sair da plateia, entrar no palco e dirigir a peça dos pensamentos e emoções.

Você fica plantado(a) na plateia ou entra no palco, dá um escândalo positivo e proclama: "Quem dirige esta peça sou Eu!"?

Podemos evitar que a peça se inicie se reeditarmos o filme do inconsciente ou construirmos janelas paralelas.

Você não acha incrível que nossa espécie sempre tenha feito guerras, cometido violências, assassinatos, atos de suicídio? Por que somos tão estúpidos se a vida é tão bela e tão breve?

Um dos grandes motivos é que as escolas no mundo não ensinam as ferramentas para o Eu ser gestor psíquico.

Outro grande motivo é que nossa mente é de uma complexidade inimaginável: centenas de "peças teatrais" (experiências) são encenadas diariamente no palco da nossa mente sem a autorização do Eu.

Além disso, outro motivo é que aprendemos a ser tímidos nos momentos em que deveríamos gritar. Você é tímido(a) em dirigir suas emoções?

Pequenos problemas furtam a tranquilidade

Há colegas de trabalho, casais, pais e filhos que, diante de pequenas frustrações, abrem algumas janelas tensionais e começam um pequeno atrito. Em seguida, abrem outras *janelas killer* (janelas assassinas que armazenam experiências traumáticas como frustrações, perdas, traições, medos, rejeições, raiva e ódio), mais graves, que resgatam uma série de fantasmas do passado, que acusam um ao outro e não interrompem a peça de terror por horas a fio. A relação vira um inferno.

Há pessoas que sofrem uma injustiça no trabalho e passam dias pensando no fato e se angustiando. Há pessoas tímidas que, por terem de enfrentar uma reunião social, martirizam-se semanas antes.

Essas pessoas maravilhosas ficam assistindo ao teatro de terror em sua mente sem nada fazerem. Não sabem que o Eu não é obrigado a viver tais pensamentos e emoções. Não sabem que podem dirigir sua história.

Para administrar as emoções, você deve rapidamente duvidar de seus pensamentos perturbadores, duvidar do conteúdo doentio delas. Deve questionar os motivos de sua reação, criticar sua ansiedade, exigir ser livre naquele momento. Enfim, deve usar a ferramenta do silêncio, interiorizar-se e resgatar a liderança do Eu. Se não duvidar e criticar as peças teatrais doentias que se encenam em sua mente, o Eu vai ser sempre vítima de seus transtornos emocionais.

Escravos modernos

Há pessoas que são dependentes das outras, mas não de forma saudável, com cooperação, troca e encorajamento, e sim com cobranças, críticas excessivas, necessidade neurótica de serem o centro das atenções. Estão juntas mesmo sabendo que estão se matando. São escravas da era moderna.

Somos dependentes do amor, da solidariedade, do altruísmo, da cooperação social, mas não podemos ser dependentes quando se trata de nossa opinião, autocrítica, autonomia. Muitas pessoas não têm algemas de ferro, mas são vítimas das algemas emocionais, geradas pelo pacto fatal do *gatilho da memória* com as janelas traumáticas.

Essas pessoas falam, pensam, raciocinam com adequação e parecem não ser assombradas por nada fora dos focos de tensão. Mas, quando o pacto do *gatilho* e das *janelas killer* ocorre novamente, o "demônio" da dependência as domina.

É necessário mais do que lágrimas e desejos para superar essa dependência. É vital equipar o Eu como gestor das emoções, reescrever as janelas e aprender a ser autor(a) da própria história.

Muitas pessoas
não têm algemas
de ferro, mas são
vítimas das algemas
emocionais.

Capítulo

5

Consequências de não proteger a emoção

Ansiedade e sintomas psicossomáticos

Ansiedade é um estado psíquico em que ocorre produção excessiva de pensamentos e emoções tensos. Os sintomas básicos geralmente são: irritabilidade, intolerância, insatisfação, instabilidade, inquietação, transtorno do sono e, às vezes, sintomas psicossomáticos, como dor de cabeça, gastrite, tontura, nó na garganta, hipertensão arterial, queda de cabelo, dor muscular.

Os sintomas psicossomáticos surgem quando a ansiedade não é resolvida. Ela é transmitida para o córtex cerebral e vai procurar algum órgão de choque. No coração, gera taquicardia; na pele, prurido (coceira); nos pulmões, falta de ar. Algumas pessoas têm mais facilidade para desenvolver esses sintomas do que outras.

Você apresenta um ou mais desses sintomas psicossomáticos? Pare! Observe-se! Escute-se! Perceba quais são as mensagens emitidas por seu corpo.

Hoje sabemos que os transtornos ansiosos podem desencadear uma série de doenças físicas, do infarto a certos tipos de câncer. Nossa mente pode se tornar um oásis para nossa vida ou uma bomba para nosso corpo.

Estima-se que mais de cem milhões de pessoas desenvolverão algum tipo de câncer nos próximos dez anos. Essa explosão dos casos de câncer não será devida apenas a causas genéticas, tabagismo, alcoolismo, má nutrição e fatores ambientais, entre outros, nem à melhoria do diagnóstico. Esse aumento será devido ao estresse crônico e à mente agitada, tensa e hiperpensante que atingem grande parte da população mundial.

Você se preocupa com sua qualidade de vida?

Então, administre o lixo que acumula em sua mente, gerencie seus pensamentos e emoções. A escolha é sua.

Ansiedade vital (normal) x ansiedade doentia

Há uma ansiedade vital que é normal, pois nos anima a romper o conformismo, a lutar por nossos sonhos, a alimentar nossa curiosidade. Há outras que são destrutivas, intensas e bloqueadoras.

Há vários tipos de ansiedade: fobia (medo desproporcional diante de um objeto/ser fóbico), síndrome do pânico (sensação súbita de que vai morrer ou desmaiar, apesar de a saúde estar ótima), transtorno obsessivo-compulsivo, TOC (ideias fixas, acompanhadas, às vezes, de rituais ou comportamentos repetitivos), transtorno de ansiedade generalizada, TAG (inquietação e irritabilidade, acompanhadas frequentemente de sintomas psicossomáticos), estresse pós-traumático (ansiedade que sucede traumas físicos e psíquicos, como perda de pessoas, perda de emprego, divórcio, acidentes, situações de violência etc.).

Não podemos nos esquecer também da ansiedade causada pela Síndrome do Pensamento Acelerado ou SPA (como sofrimento por antecipação, mente agitada, flutuação emocional, irritabilidade, dores de cabeça, dores musculares, fadiga excessiva, esquecimento etc.), extremamente comum nos dias atuais.

Que tipo de ansiedade você tem ou já teve?

Se um desses tipos de ansiedade envolvê-lo(a) em alguma curva da vida, não se desespere. Isso pode ser reciclado e superado. Nada é irreversível na psique humana. Aplique as ferramentas e treine administrar suas emoções, reciclar seu estilo de vida, atuar dentro de si mesmo(a).

Depressão: o último estágio da dor humana

Existem vários tipos de depressão, como: depressão maior (pessoa que sempre foi alegre, mas, por vários motivos, como perdas, frustrações e pensamentos negativos, tem uma crise depressiva), depressão distímica (pessoa que sempre foi triste e pessimista desde a adolescência), depressão reacional (humor triste resultante de um trauma ou perda), depressão bipolar (humor depressivo alternado, às vezes, com euforia irracional).

Os sintomas depressivos mais importantes são: desânimo, perda do prazer, diminuição da libido (prazer sexual), transtorno do sono (insônia ou excesso de sono), alteração do apetite, ideias de suicídio, fadiga excessiva, ansiedade, isolamento social.

Em alguns casos, existe influência genética. Porém, não há condenação genética. Se a mãe ou o pai for depressivo, os filhos podem ser alegres, sociáveis, empreendedores.

Muitos pacientes deprimidos são ótimas pessoas, mas não têm proteção emocional. Eles sofrem a dor dos outros, doam-se excessivamente, são hipersensíveis. Uma ofensa causa-lhes um eco intenso.

Depressão é coisa séria

De acordo com a Organização Mundial da Saúde (OMS), vinte por cento da população mundial - cerca de 1,5 bilhão de pessoas - deve desenvolver um quadro depressivo ao longo da vida.

Ninguém deve pensar que a depressão é fingimento, fragilidade ou frescura. A depressão não é um estado de tristeza temporário, superado em algumas horas ou dias. É uma doença que pode durar pelo menos duas ou três semanas e, às vezes, muito mais tempo.

Ela deve ser tratada não apenas por meio da psicoterapia, mas também por um psiquiatra experiente e com medicamentos antidepressivos.

A depressão acomete todas as classes sociais e leva o mais forte dos seres humanos às lágrimas. Leva generais a se fragilizar, celebridades a perder o brilho e milionários a beijar a lona da miserabilidade. Pode fazer qualquer um se sentir na maior de todas as masmorras: o cárcere da emoção.

Essa doença representa o último estágio do sofrimento humano. Não há palavras que expliquem a dimensão dessa dor. Só conhece esse drama quem já viveu esse tétrico espetáculo. A situação é tão dolorosa que, muitas vezes, leva ao suicídio.

Quem pensa em morrer tem sede de viver

Muitos dependentes de álcool/drogas, pessoas deprimidas ou que viveram grandes perdas, traições, crises financeiras ou sentimento de culpa asfixiante, entre outros problemas, pensam em morrer.

Todos os anos, milhões de pessoas tentam o suicídio e, infelizmente, 800 mil conseguem tirar a vida, de acordo com um estudo da Organização Mundial da Saúde (OMS) divulgado em setembro de 2014.

Quando uma pessoa pensa em suicídio, na realidade não quer matar a vida, e sim a dor. Filosoficamente falando, todo pensamento sobre a morte é uma manifestação da vida, pois representa a mente viva pensando na morte, e não a morte pensando em si mesma.

Portanto, não existe a ideia pura de suicídio como muitos psiquiatras e psicólogos pensam. Não existe consciência da inexistência.

Quem pensa em morrer tem, no fundo, fome e sede de viver. Está procurando desesperadamente destruir a angústia, as algemas da emoção deprimida, e não terminar com a própria existência. Muitos de meus pacientes deprimidos que pensavam em suicídio deram um salto em sua qualidade de vida ao descobrirem que, na realidade, não queriam morrer, mas desejavam superar o caos e viver intensamente. Saíram da plateia, aprenderam a resgatar a liderança do Eu. Usando as ferramentas certas, deixaram de ser vítimas de sua miséria emocional e se tornaram autores da própria história. Por nada e por ninguém vale a pena deixar de viver.

Se você tiver parentes ou amigos com depressão e sem coragem para viver, ouça-os sem criticar. Não lhes dê conselhos superficiais. Empreste-lhes os ouvidos e o coração emocional. Diga a eles que são fortes, que têm uma grande fome e sede de viver. Encoraje-os a não ter medo de se tratar. Uma pessoa madura não dá as costas para a dor, mas a enfrenta com dignidade.

Jamais devemos desistir da vida

Devemos enfrentar com humildade e ousadia nossas perdas e decepções. Adote a técnica do DCD (duvidar, criticar e determinar). Devemos duvidar de tudo que nos controla, criticar diariamente cada pensamento perturbador, dar um choque de lucidez em nossas emoções doentias.

"Grite" no único lugar em que não é admissível ficar tímido(a) e amordaçado(a): dentro de si mesmo(a). Aliás, reflita: você é tímido(a) no teatro psíquico ou protagonista de sua história?

A emoção doentia ama as pessoas passivas, mas a emoção saudável ama as pessoas que a lideram. Se você treinar administrar sua emoção, depois de alguns meses o resultado será fabuloso.

Você viverá mais tranquilamente, formará plataformas de *janelas light* (saiba mais sobre este tema no volume *Controle o estresse* desta coleção) e, pouco a pouco, seu Eu terá mais encanto pela existência. A sensibilidade e a serenidade serão incorporadas gradativamente em sua personalidade.

Exemplo de fragmentação de um ser humano

É possível usar técnicas para proteger a emoção e desenvolver saúde nesta sociedade altamente estressante, competitiva, consumista e que nos estimula pouco a entrar em camadas mais profundas de nossa mente. Mas infelizmente há milhões de pessoas que não aprenderam minimamente a fazer seguro emocional. Elas desabam diante de suas crises, perdas e contrariedades. Veja um exemplo:

Uma mulher de 45 anos nunca havia tido depressão, mas certa vez teve uma decepção com o parceiro. Ele a traiu diversas vezes e, por fim, pediu a separação. Por não aprender a proteger sua emoção, essa mulher cometeu a maior traição que um ser humano pode cometer consigo mesmo: abandonar-se.

Ela começou a viver em função das pedras de *crack*. No começo, usava uma pedra por dia, depois duas, até que passou a usar dez. O rápido efeito do *crack* produzia uma excitação mental que a viciava, a aprisionava e a transformava num zumbi. Perdeu completamente sua liberdade e autoestima. Deixou de ter um caso de amor consigo mesma.

Quando pensava na droga ou estava ansiosa, deprimida e solitária, detonava o *gatilho da memória*, abria as *janelas killer duplo P* (veja mais no volume *Controle o estresse*) e, a partir daí, não enxergava mais nada, não pensava nas consequências dos seus comportamentos, procurava compulsivamente uma nova pedra.

O tempo passou, e suas finanças se deterioraram. Ela deixou de estudar e ter um relacionamento razoável com as pessoas. Ninguém lhe dava crédito. Sem dinheiro e completamente dependente, passou a se prostituir para conseguir se drogar.

Essa história real e triste indica que em qualquer época, se não aprender a gerenciar pensamentos e emoções, bem como filtrar estímulos estressantes, o Eu pode cair na masmorra da dependência e se tornar vítima da sua história, e não autor dela.

Se você treinar administrar sua emoção, depois de alguns meses o resultado será fabuloso.

Capítulo
6

Técnicas para proteger a emoção

1. Doar-se sem esperar retorno. Quem espera excessivamente retorno ou reconhecimento dos outros, em especial dos mais íntimos, pode não ter nenhuma proteção emocional. Ao se doar para os filhos, alunos, parceiro(a), amigos e colegas, diminuir a expectativa de retorno é fundamental para filtrar estímulos estressantes nas relações sociais.
2. Nunca exigir o que os outros não podem dar. Exigir serenidade, lucidez e coerência de alguém no exato momento em que falhou, tropeçou ou se irritou é invasão de privacidade e fonte de decepções. Nesse momento, a pessoa está sequestrada por uma janela traumática, o volume de tensão bloqueia milhares de *janelas light* e, portanto, ela não tem condições de dar uma resposta inteligente. Esperar o foco de tensão passar para depois intervir é uma manifestação solene de quem aprendeu a gerenciar e amadurecer sua emoção.
3. Não agir à base do "bateu-levou", da ação-reação. Estamos viciados em reagir quando alguém nos contraria. Ação e reação são ótimas para a física, mas péssimas para as relações humanas. Quem é impulsivo ou reage sem pensar, além de não proteger sua emoção, pode fazer dela uma lata de lixo social e destruir seus

melhores relacionamentos. Você pode ter cem atitudes saudáveis, mas, se reagir grosseiramente uma vez, poderá asfixiar todas as ações positivas. Lembre-se de que, nos primeiros 30 segundos de tensão, podemos cometer os maiores erros da vida, dizer palavras que jamais deveriam ser ditas a quem amamos. Faça a oração dos sábios nos momentos de conflito: o silêncio. Em seguida, aplique a próxima técnica.

4. Conquistar primeiro o território da emoção, depois o da razão: surpreender positivamente antes de criticar. A melhor maneira de contribuir com alguém que nos frustrou não é apontar a falha, pois tal atitude invade a privacidade e expande a *janela killer*. A melhor atitude é surpreender, elogiar, mostrar seus valores e, no segundo momento, apontar suas falhas. Quem rompe o cárcere do fenômeno "bateu-levou" e surpreende as pessoas que o frustram torna-se um conquistador. Marca suas histórias, encanta-as.
5. A maior "vingança" em relação a um inimigo é perdoá-lo (primeiro passo) e elogiá-lo (segundo passo). A aplicabilidade dessa ferramenta pode não melhorar seu ofensor, desafeto ou inimigo, mas certamente mudará você, protegerá sua emoção, filtrará estímulos estressantes e melhorará seu sono e humor. Lembre-se: os frágeis condenam, os fortes perdoam. E os sábios? Encontram motivos para elogiar. Eles saem do rol dos comuns.

Capítulo

7

Um homem que aprendeu a proteger sua emoção

Há 2 mil anos, houve um homem que podemos classificar como o Mestre dos mestres da qualidade de vida. Ele atravessou o caos emocional com uma maturidade que surpreende a psiquiatria. Logo antes de ser preso e crucificado, o jardineiro da vida estava no Jardim do Getsêmani, preparando-se para suportar o insuportável. Judas estava a caminho com uma escolta de trezentos soldados. Jesus teria de enfrentar, no dia seguinte, quatro julgamentos (nas casas de Anás, Caifás, Herodes Antipas e Pilatos) e, por fim, a condenação.

Teria de suportar seu caos de forma diferente de qualquer miserável que morrera injusta e penosamente. Teria de proteger sua emoção, perdoar em vez de condenar, compreender em vez de excluir, manter a serenidade em vez de ser controlado por *janelas killer* (veja mais no volume *Controle o estresse* desta coleção).

Quem conseguiria gerenciar sua psique e ser líder de si mesmo em tais situações? Quem conseguiria pensar em seus alunos nessas circunstâncias? Mas ele o fez.

Ele entrou no anfiteatro de seus pensamentos e no território de sua emoção e foi autor da própria história enquanto o mundo desabava sobre ele. Por alguns momentos, analisou todas as possibilidades dolorosas que sofreria. Seu pensamento acelerou-se, sua emoção deprimiu-se. Mas sabia que não podia ser escravo de seus pensamentos antecipatórios, algo dificílimo naquele foco de tensão. Para surpresa dos discípulos que o achavam imbatível, ele disse que sua alma estava profundamente angustiada.

Os discípulos se abalaram. Nunca o tinham visto se fragilizar. E se assombraram mais ainda porque começaram a presenciar seus sintomas psicossomáticos, como falta de ar e suor excessivo. Ele teve hematidrose (suor sanguinolento), um sintoma raríssimo que só ocorre no topo do estresse. Mas, no instante em que o volume de tensão era enorme, Jesus se levantou. Seu Eu saiu da plateia, deixou de ser vítima de seus pensamentos, entrou no palco de sua mente e assumiu o papel de diretor de sua emoção. É uma pena que esse notável homem só tenha sido estudado ao longo da história sob o ângulo da religião e da teologia. Estudá-lo pela ótica da psiquiatria, da psicologia e da sociologia proporciona um banho de lucidez.

Jesus jamais abriu mão de ser líder de si mesmo

Jesus não abriu mão de resgatar a liderança do Eu mesmo no limite da ansiedade e da angústia. É admirável: nunca perdeu o controle de si mesmo. Ele não queria que seus discípulos fossem heróis ou perfeitos. Queria que não tivessem medo de chorar, de declarar seu sofrimento, de se abrir com alguns íntimos. Queria, em especial, que não abrissem mão de gerenciar pelo menos minimamente seus pensamentos e emoções. O professor, mesmo no ápice de sua dor, treinou seus discípulos para serem autores da própria história.

À medida que ele orava e clamava ao Pai, fazia um exercício psíquico de primeira grandeza. Sua mente havia se tornado um teatro de terror por tentar se preparar para aguentar o insuportável. Mas, em vez de ser passivo e se entregar ao desespero, ele declarou solenemente que não queria ser escravo de sua emoção. Mesmo chorando, com taquicardia e suando sangue, ele virou a mesa dentro do próprio ser. Duvidou da força do medo, criticou suas ideias perturbadoras e determinou ser livre. Reafirmo: ele saiu da plateia, entrou no palco e se tornou ator principal do teatro de sua mente. Fez, à sua maneira, o DCD (duvidar, criticar, determinar).

Desse modo, governou com incrível maestria sua angústia depressiva e sua crise de ansiedade. Sua emoção se tranquilizou, e sua capacidade de pensar voltou a ser livre. Somente isso explica as reações poéticas e gentis que ele teve quando Judas o traiu.

Para quem o Mestre dos mestres declarou sua dor? Para três alunos que em seguida o decepcionariam ao máximo: Pedro, Tiago e João. Pedro o negaria dramaticamente, e Tiago e João o abandonariam no momento em que Jesus mais precisaria da presença deles. Foi para essas pessoas que o frustrariam muitíssimo que o professor teve a coragem de se abrir e mais coragem ainda de ensinar as mais importantes lições para protegerem sua emoção.

Muitos líderes religiosos não estudaram o psiquismo de Jesus e, portanto, não aprenderam essas intrigantes lições. Eles são solitários, têm medo de se abrir, a ninguém comunicam sua angústia, seus medos e depressão. "Morrem" em silêncio.

> *E você, sabe se abrir? Tem medo de se frustrar? Tranca seus conflitos num cofre ou os esconde debaixo do tapete do seu* status *ou trabalho? Abre mão de gerir sua mente, atravessa o caos, tropeça ou se acidenta?*

Lembre-se de que proteger a emoção é ser livre para sentir, mas não algemado pelos sentimentos. É capacitar o Eu para gerenciar o medo, reciclar a ansiedade, superar a insegurança, dominar a dependência psíquica.

Que tipo de emoção o(a) perturba?
Você é uma pessoa estável ou instável? Feliz ou deprimida?
Independente ou dependente?

Jamais seja espectador(a) passivo(a) da angústia, do humor triste, da irritabilidade, da impulsividade e da agressividade.

Gerencie suas emoções.

A saúde emocional, a felicidade, a tranquilidade, o prazer de viver e a criatividade estão ao alcance de todos. Infelizmente, poucos os encontram, pois os procuram em lugares errados. Nunca se arriscaram a explorar o incrível território da emoção e conquistar aquilo que o dinheiro não consegue comprar.

No meu livro *Petrus Logus*, diferentemente do que ocorre no livro *Harry Potter*, em que o personagem usa uma varinha mágica para resolver os conflitos, estimulo os jovens de todo o mundo a usar sua inteligência para explorar e proteger o incrível mundo da emoção.

Afinal, ser livre e emocionalmente saudável depende de treinamento e educação, como visto neste volume que você acabou de ler.

Referências

ADORNO, Theodor W. *Educação e emancipação*. Rio de Janeiro: Paz e Terra, 1971.

AYAN, Jordan. *AHA!* - 10 maneiras de libertar seu espírito criativo e encontrar grandes ideias. São Paulo: Negócio, 2001.

BAYMA-FREIRE, Hilda A.; ROAZZI, Antônio. *O ensino público é um desafio para todos*: encontros e desencontros no ensino fundamental brasileiro. Recife: UFPE, 2012.

CAPRA, Fritjof. *A ciência de Leonardo da Vinci*. São Paulo: Cultrix, 2008.

CHAUI, Marilena. *Convite à filosofia*. São Paulo: Ática, 2000.

CURY, Augusto. *O código da inteligência*. Rio de Janeiro: Ediouro, 2009.

______. *Pais brilhantes, professores fascinantes*. Rio de Janeiro: Sextante, 2003.

______. *Inteligência multifocal*. São *Paulo: Cultrix, 1999.*

______. A fascinante construção do Eu. São Paulo: Planeta, 2012.

DESCARTES, René. *O discurso do método*. Brasília: UnB, 1981.

DOREN, Charles Van. *A history of knowledge*. New York: Random House, 1991.

FOUCAULT, Michel. *A doença e a existência*. Rio de Janeiro: Folha Carioca, 1998.

FREUD, Sigmund. *Obras completas*. Madri: Editorial Biblioteca Nueva, 1972.

FROMM, Erich. *Análise do homem*. Rio de Janeiro: Zahar, 1960.

GARDNER, Howard. *Inteligências múltiplas*: a teoria na prática. Porto Alegre: Artes Médicas, 1994.

GOLEMAN, Daniel. *Inteligência emocional*. Rio de Janeiro: Objetiva, 1995.

HALL, Calvin S.; LINDZEY, Gardner. *Teorias da personalidade*. São Paulo: EPU, 1973.

HUBERMAN, Leo. *História da riqueza do homem*. Rio de Janeiro: Guanabara, 1986.

JUNG, Carl Gustav. *O desenvolvimento da personalidade*. Petrópolis: Vozes, 1961.

LIPMAN, Matthew. *O pensar na educação*. Petrópolis: Vozes, 1995.

MORIN, Edgar. *Os sete saberes necessários à educação do futuro*. São Paulo: Cortez, 2000.

PIAGET, Jean. *Biologia e conhecimento*. Petrópolis: Vozes, 1996.

SARTRE, Jean-Paul. *O ser e o nada*. Petrópolis: Vozes, 1997.

STEINER, Claude. *Educação emocional*. Rio de Janeiro: Objetiva, 1997.

YUNES, Maria Angela Mattar. *A questão triplamente controvertida da resiliência em famílias de baixa renda*. 2001. Tese (Doutorado em Psicologia da Educação) – Pontifícia Universidade Católica de São Paulo, São Paulo, 2001.

Sobre o autor

"A maior aventura de um ser humano é viajar, e a maior viagem que alguém pode empreender é para dentro de si mesmo. E o modo mais emocionante de realizá-la é ler um livro, pois um livro revela que a vida é o maior de todos os livros, mas é pouco útil para quem não souber ler nas entrelinhas e descobrir o que as palavras não disseram..."

Augusto Jorge Cury nasceu em Colina, estado de São Paulo, no dia 2 de outubro de 1958. É o psiquiatra mais lido no mundo atualmente, professor, escritor e palestrante brasileiro, autor da Teoria da Inteligência Multifocal. Formado em medicina pela Faculdade de Medicina de São José do Rio Preto, fez pós-graduação na Pontifícia Universidade Católica de São Paulo, PUC-SP, e concluiu seu doutorado internacional em Psicologia Multifocal pela Florida Christian University no ano de 2013, com a tese "Programa Freemind como ferramenta global para prevenção de transtornos psíquicos". Na carreira, dedicou-se à pesquisa sobre o processo de construção de pensamentos, formação do Eu, os papéis conscientes e inconscientes da memória, o programa de gestão de emoção e a lógica do conhecimento e o processo de interpretação.

Cury é professor de pós-graduação da Universidade de São Paulo, USP, e tem vários alunos mestrando e doutorando. É conferencista em congressos nacionais e internacionais. Foi conferencista no 13º Congresso Internacional sobre Intolerância e Discriminação da Universidade Brigham Young, nos Estados Unidos.

Considerado pelas revistas *IstoÉ* e *Veja*, pelo jornal *Folha de S.Paulo* e pelo instituto Nielsen o autor mais lido das últimas duas décadas no Brasil, seus livros já foram publicados em mais de setenta países e venderam mais de trinta milhões de exemplares apenas no Brasil.

No ano de 2009, recebeu o prêmio de melhor ficção do ano da Academia Chinesa de Literatura pelo livro *O vendedor de sonhos*, adaptado para o cinema em 2016, uma produção brasileira com direção de Jayme Monjardim.

O romance é considerado um *best-seller*, com milhões de cópias vendidas por todo o mundo. O filme se tornou também um sucesso de bilheteria e um dos mais visto da Netflix. O livro discorre, de maneira profunda, sobre os problemas emocionais e psicológicos e sobre as angústias da humanidade. Devido a todo o sucesso dessa obra, Cury escreveu duas sequências: *O vendedor de sonhos e a revolução dos anônimos* (2009) e *O semeador de ideias* (2010). Outros livros serão filmados, como *O futuro da humanidade* e *O homem mais inteligente da história*.

A teoria da Inteligência Multifocal é uma das raras teorias sobre o processo de construção de pensamentos e adotada em algumas importantes universidades. Ela visa explicar o funcionamento da mente humana e as formas para exercer maior gerenciamento da emoção e do pensamento.

É criador da Escola da Inteligência, o maior programa mundial de educação socioemocional, com mais de 400 mil alunos, que promove desenvolvimento emocional de crianças, adolescentes e adultos. Elaborou o Programa Freemind, 100% gratuito, usado em centenas de instituições e clínicas, ambulatórios e escolas, para contribuir com o desenvolvimento de uma emoção saudável para a prevenção e o tratamento da dependência de drogas. Também é autor do programa Você é insubstituível, primeiro programa mundial de gestão da emoção para prevenção de transtornos emocionais e suicídios, 100% gratuito, adotado por muitas instituições, como a Polícia Federal e Associação de Magistrados do Brasil. E foi adotado mundialmente por uma nova rede social, a Gotchosen, que está disponível sem custos para todo ser humano de qualquer país! Entre na Gotchosen através do convite do Dr. Cury na bio dele do Instagram!